Alain M. Bergeron

Mission
ouaouaron

Illustratic
de Geneviève C... ...ure

la courte échelle

Les éditions de la courte échelle inc.
5243, boul. Saint-Laurent
Montréal (Québec) H2T 1S4
www.courteechelle.com

Directrice de collection:
Annie Langlois

Révision:
Sophie Sainte-Marie

Conception graphique:
Elastik

Mise en pages:
Sara Dagenais

Dépôt légal, 3ᵉ trimestre 2006
Bibliothèque nationale du Québec

La courte échelle reconnaît l'aide financière du gouvernement du Canada par l'entremise du Programme d'aide au développement de l'industrie de l'édition pour ses activités d'édition. La courte échelle est aussi inscrite au programme de subvention globale du Conseil des Arts du Canada et reçoit l'appui du gouvernement du Québec par l'intermédiaire de la SODEC.

La courte échelle bénéficie également du Programme de crédit d'impôt pour l'édition de livres — Gestion SODEC — du gouvernement du Québec.

Catalogage avant publication de Bibliothèque et Archives Canada

Bergeron, Alain M.

    Mission ouaouaron

    (Mon Roman; MR27)

    ISBN 2-89021-867-8

    I. Couture, Geneviève.   II. Titre.   III. Collection.

PS8553.E674M573 2006   jC843'.54   C2006-940842-4
PS9553.E674M573 2006

Imprimé au Canada

Alain M. Bergeron

Alain M. Bergeron est journaliste et habite Victoriaville. Il est l'auteur d'une cinquantaine de livres pour les jeunes. Il écrit parce qu'il adore raconter des histoires, et l'une de ses grandes joies est d'être lu par de jeunes lecteurs. Alain M. Bergeron avoue être plutôt maladroit en bricolage. C'est peut-être ce qui lui a inspiré le personnage du papa d'Alex dans cette série! *Mission ouaouaron* est le deuxième roman qu'il publie à la courte échelle.

Geneviève Couture

Geneviève Couture a étudié en arts plastiques et en graphisme. Aujourd'hui, elle est illustratrice, et on a pu voir ses illustrations dans des dessins animés et des vidéos. Geneviève aime énormément les animaux. Elle a d'ailleurs trois chiens, un chat, un iguane, une tortue et des poissons! *Mission ouaouaron* est le deuxième roman qu'elle illustre à la courte échelle.

Du même auteur, à la courte échelle:

Collection Mon Roman
Série Mission:
Mission oisillon

Consultez les fiches séries et les fiches d'accompagnement au
www.courteechelle.com

Alain M. Bergeron

Mission
ouaouaron

Illustrations
de Geneviève Couture

la courte échelle

À Marjolaine qui a eu
une très bonne idée !

1

Quand je suis revenu de l'école ce jour-là, j'avais ramené un nouvel ami.

— Alex ! C'est quoi, *ça* ? s'est étranglée ma mère.

Avec une horrible grimace, elle a bondi sur le tabouret. Un peu plus et elle grimpait sur le comptoir de la cuisine. Son dégoût me rappelait la tête de ma sœur Élizabeth quand on lui donnait du pâté chinois.

Mon ami, lui, ne semblait pas trop se formaliser de cette curieuse réaction.

Parce que je suis poli, j'ai procédé aux présentations d'usage. Je me suis d'abord adressé à mon ami, que je tenais dans la main :

— Elle s'appelle maman. C'est ma mère et elle n'a pas l'habitude d'exécuter des sauts de grenouille devant les visiteurs. C'était sans doute pour t'impressionner.

Mon regard s'est alors porté vers ma mère, qui n'avait pas bougé d'un cil.

— Maman, je te présente Wawa. C'est un ouaouaron et c'est mon privilège de la semaine, ai-je indiqué.

— Un privilège, *ça* ? Un monstre, plutôt ! a-t-elle tempêté, juchée telle une poule. Tu n'aurais pas pu être tannant pour une fois, Alex ?

Ça, c'était la meilleure ! Je m'étais bien comporté en classe. J'avais droit à cette récompense, et ma mère m'accablait de reproches !

— Un privilège, c'est plutôt agréable. C'est une crème glacée, une soirée au cinéma ou un vidéo avec du maïs soufflé, a-t-elle repris en redescendant du tabouret. *Ça*, c'est une conséquence !

— Tu étais d'accord ! ai-je répliqué.

C'est vrai ! Il y a deux mois, j'avais montré à maman la photo de Wawa, le ouaouaron. Elle avait fini par déclarer que, bon, il était mignon.

Mme Marjolaine, ma professeure, est arrivée un jour avec lui. Elle l'avait trouvé derrière chez elle et elle avait décidé de l'emmener dans sa classe.

Déguisée en sorcière pour une pièce de théâtre, elle a pointé sa baguette magique vers Wawa. Elle l'a transformé non pas en prince charmant, mais en un charmant… privilège.

Chaque semaine, j'espérais que mon tour vienne. Plus les jours s'écoulaient, et plus Wawa grossissait.

Au début, il tenait dans un large pot de vitre, avec des trous dans le couvercle. Il s'y est vite senti à l'étroit.

Il a donc fallu changer son bocal trois fois pour qu'il y soit plus à l'aise. Du bocal, on a dû passer à l'aquarium. Mon ami Wawa y a juste assez de place pour bouger.

— C'est seulement pour une soirée et une nuit, maman ! ai-je plaidé.

Je le ramène à l'école demain matin, promis !

Ma mère a soupiré. Elle n'était pas enchantée par l'idée de garder mon ami à coucher. Par contre, elle sait à quel point j'aime les animaux et les insectes.

— J'ai hâte qu'Élizabeth voie Wawa, lui ai-je souligné.

— Moi, j'ai hâte que papa voie *ça*, a-t-elle murmuré en secouant la tête.

J'ai compris qu'elle venait de capituler.

— Merci, maman ! J'en prendrai soin. Ce sera MA mission. Tu ne remarqueras pas qu'il y a un ouaouaron dans la maison !

2

Comme prévu, ma jeune sœur Elizabeth était très excitée à son retour de la maternelle. Elle sautait partout, telle une rainette. Elle désirait prendre Wawa dans ses mains.

J'ai réfléchi un instant et j'ai approuvé. Pourquoi pas? Que pouvait-il arriver?

Je me trompais…

J'ai sorti Wawa de son aquarium et je l'ai tendu à Élizabeth. Il restait immobile entre mes mains et semblait s'y sentir en sécurité.

Dès qu'Élizabeth l'a saisi, il a commencé à gigoter doucement. Puis il a agité les pattes.

— Aaaaah! a crié ma sœur.

Et elle l'a «échappé». L'expression la plus juste, selon moi, serait «laissé tomber». Mais elle n'était pas d'accord avec mon analyse de la situation.

Pendant qu'on s'obstinait, Wawa s'est élancé hors de ma chambre et s'est dirigé vers la cuisine.

Ma mère était occupée à donner sa recette de sauce à spaghetti à des voisines. Elle n'a pas remarqué l'arrivée de mon invité. Wawa, attiré par l'odeur de la sauce, a sauté sur le comptoir.

— ALEX ! a hurlé ma mère.

Elle a reculé lentement, imitée par ses voisines. Craignaient-elles d'être attaquées si elles effectuaient un mouvement brusque ?

Wawa, effrayé par les cris, a cherché un abri.

Il a plongé tête première dans

la marmite de sauce à spaghetti.

Splotch !

La sauce s'est répandue sur les murs
et sur le visage des voisines de ma mère.
Quel maquillage ! Une chance que la
sauce n'était pas chaude, sinon Wawa
était cuit ! Tout son corps était immergé.
Seuls ses deux yeux dépassaient de la
sauce.

— C'est ça, Marie, le secret de ta sauce ? a craché une voisine en jetant un coup d'œil à ma mère.

Penaud, je me suis approché de la

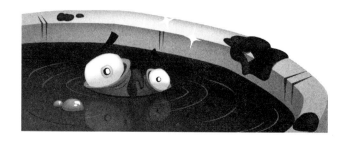

marmite. Je n'osais pas regarder ma mère. Par contre, je l'entendais gronder, les dents serrées, sur le point d'exploser.

— Je prépare cette sauce depuis deux heures…

— Il n'y a pas de quoi en faire un plat, maman, ai-je lancé avec un sourire forcé.

— Une sauce à swawati ! a renchéri Élizabeth en éclatant de rire et en s'avançant à son tour.

Elle a signalé que Wawa n'avait pas l'air dans son assiette. La sauce à la viande ne valait sans doute pas le confort de son marécage.

Soudain, le ouaouaron s'est propulsé hors de la marmite, suscitant une autre volée de cris féminins. Ensuite, il a sautillé dans la cuisine, puis vers le salon en laissant des empreintes partout.

— Mon plancher! s'est effondrée ma mère.

3

Ça ne m'a pris que deux ou trois minutes pour attraper Wawa. Je l'ai récupéré sur la couverture blanche du lit de mes parents. J'ai voulu le nettoyer, car il était encore dégoulinant de sauce à spaghetti.

— Tu pourrais le mettre dans la laveuse, a suggéré Élizabeth.

— Pourquoi pas ? ai-je ironisé. Et puis après dans la sécheuse, mademoiselle Je-sais-tout ?

— Non ! Wawa pourrait faire trop de beding-bedang ! On devrait plutôt le suspendre à la corde à linge.

— Je crois que j'ai une meilleure idée.

Je suis entré dans la salle de bain, ma sœur sur les talons.

Mon père, qui se la coulait douce dans un bain moussant, ne nous a pas entendus.

Les yeux fermés et des écouteurs sur les oreilles, il avait un verre de vin à la main. Il dégustait ce moment de tranquillité.

Isolé, il était inconscient de l'agitation dans la cuisine.

Tout en le retenant, j'ai plongé Wawa dans l'eau du bain. Elle était tiède. J'imagine que, pour Wawa, c'était préférable

à la sauce. Il pourrait enfin délier ses longues pattes.

C'est alors qu'il a gigoté dans mes mains. Je l'ai « échappé »…

— Tu l'as laissé tomber ! a murmuré Élizabeth.

— Ce n'est pas vrai ! ai-je protesté.

Mon père, qui semblait ne s'être aperçu de rien, a ouvert les yeux et nous a souri.

— Bonjour, les enfants !

— Bonjour, mon papounet d'amour, a chanté Élizabeth.

Il a froncé les sourcils. Une lueur d'inquiétude brillait maintenant dans ses yeux. Il a retiré ses écouteurs et s'est assis dans son bain.

— J'ai senti un truc dans l'eau.

Je ne savais pas quoi répondre.

— C'est peut-être un requin, ai-je tenté à la blague.

Sous la mousse, j'imaginais Wawa,

enjoué. Il devait s'ébattre doucement dans cet espace plus grand que son modeste aquarium.

— Encore ! a répété mon père. C'est… là !

Il montrait du doigt un tas de mousse qui bougeait. Il a saisi le canard jaune en plastique d'Éliza-beth et l'a brandi telle une arme.

Ça s'est passé en un éclair. Wawa a bondi sur le ge-nou de mon pau-vre père et a collé

sa langue sur son nez ! Mon père en a crié de surprise.

Pris de panique, il est sorti du bain et a couru jusqu'à la cuisine. À cause de ses pieds mouillés, il a glissé et s'est retrouvé sur le dos.

Étendu dans la cuisine, mon père était flambant nu, devant le regard stupéfait des voisines et de ma mère.

4

Le calme est revenu chez nous après la tempête Wawa. Avec un sourire entendu, les voisines se sont excusées auprès de ma mère et sont parties. Du salon, on les entendait glousser telles des dindes.

Peu après, notre voisin, M. Gagnon, est venu nous inviter à une dégustation de… cuisses de grenouille. Mon père, une serviette autour de la taille, l'a chassé des lieux.

— Quelle mouche t'a piqué, Michou ? a demandé M. Gagnon, surpris.

Mon père n'a pas voulu lui répondre. En lui claquant la porte au nez, il s'est tourné vers moi avec un regard à donner froid dans le dos.

J'ai raconté à mon père l'histoire du ouaouaron et du privilège. Lui non plus ne m'a pas félicité de mon comportement exemplaire à l'école ! J'étais furieux :

— Au moins, je ne me suis pas promené nu devant les voisines, moi !

— Papounet nu ! a renchéri ma sœur.

Elle a éclaté d'un rire contagieux qui a soulagé la cuisine de la tension qui y régnait.

Mes parents ont effacé les traces de sauce laissées par le passage de Wawa. Avec l'aide d'Élizabeth, j'ai placé le ouaouaron dans l'aquarium installé dans ma chambre. Si Wawa avait pris le nez de mon père pour une mouche, c'était davantage parce qu'il avait faim. L'heure du repas approchait.

— Que raconte le manuel d'entretien ? a demandé Élizabeth en regardant les images du livret qui venait avec le ouaouaron.

— Un manuel d'entretien? Tu n'y comprends rien! C'est un livre sur les batraciens. On y trouve des conseils et des informations, ai-je corrigé.

Ma sœur s'est plainte qu'elle ne comprenait pas parce que c'était écrit en japonais. J'ai rétorqué que tout était en français et qu'elle ne savait pas lire, point à la ligne.

Après un coup d'œil rapide autour de moi, je suis sorti dehors. Il me fallait attraper des mouches pour mon invité.

J'ai eu beau fouiller partout, je n'ai rien découvert à mettre sous la dent de Wawa.

Optant pour une méthode simple et efficace, je suis rentré dans la maison en laissant la porte ouverte.

Vingt secondes plus tard, quatre mouches s'étaient engouffrées chez moi. On ne parlait pas d'un grand festin, mais davantage d'un léger gueuleton.

Les mouches ont à peine pu se poser sur les pommes de terre de mon père. Je les ai capturées à mains nues. Hop! Hop! Hop! Hop! Je suis le champion des attrapeurs de mouches.

Wawa peut se considérer comme chanceux d'être en aussi bonne compagnie! J'ai relâché les mouches, vivantes, dans son aquarium. Il n'a pas réagi. Sa langue demeurait dans sa bouche.

Toucher le nez de mon père lui avait-il coupé l'appétit?

— Wawa s'ennuie, a réalisé Élizabeth.

L'évidence m'a frappé de plein fouet. Pour une fois, ma sœur avait raison. Wawa semblait perdu, loin de son marécage. Dans le bain, à nager, il paraissait plus animé, plus vivant. Là, dans son aquarium, il s'était transformé en statue de cire.

Les mouches, inconscientes du danger, continuaient à voltiger autour de lui.

Je savais ce qu'il me restait à accomplir demain. Pour l'instant, c'était l'heure de se coucher. Fidèle à son habitude, Élizabeth s'est précipitée dans les bras de notre père, venu nous rejoindre. Elle a couvert son visage de mille baisers.

— Papounet,
tu goûtes meilleur
que Wawa, lui
a-t-elle confié.

— Ah bon…
a répondu mon pè-
re, l'air intrigué, in-
certain d'avoir saisi
les paroles d'Éliza-
beth.

— C'est parce
que j'ai embrassé
Wawa sur la bouche,
a-t-elle expliqué.
Alex m'a assuré qu'il
se changerait en prin-
ce charmant. Ça n'a
pas fonctionné…

Mon père a cou-
ru à la salle de bain
pour se nettoyer la fi-
gure avec du savon. De

retour dans la chambre, il a ordonné à Élizabeth de ne plus bécoter le ouaouaron.

— D'accord, a-t-elle lâché. Une histoire, alors?

Mon père n'a pas eu à sortir un livre. Il connaissait une histoire par cœur.

— Il était une fois une grenouille qui rêvait de devenir aussi grosse qu'un bœuf. Elle a gonflé, et gonflé, et gonflé, et… bang! Elle a explosé!

Il a éclaté d'un rire sadique. Il a regardé Wawa. Dans sa tête, il devait le voir gonfler et gonfler jusqu'à occuper tout l'aquarium. Et…

— Bang! Wawa! Bang! s'est exclamé mon père avec un rire mauvais.

Élizabeth a bougonné, le visage fermé, les bras croisés sur sa poitrine.

— Elle n'est pas drôle, ton histoire, papounet!

***

Le lendemain matin, nous avions les traits tirés. Wawa avait lancé son appel d'amour, sans arrêt, pendant la nuit… Aucune femelle n'y avait répondu.

Je me suis souvenu de mon livret sur les ouaouarons. On y racontait que leur cri pouvait être audible à des kilomètres.

Les quelques heures durant lesquelles j'ai réussi à dormir ont été peuplées de mauvais rêves. Au réveil, je me suis rappelé celui où M. Gagnon, notre voisin, défonçait la porte d'entrée. Il voulait embrocher Wawa pour lui dévorer les cuisses.

Dans un autre rêve, mon père se sauvait en pleine rue, nu comme un ver. Poursuivi par les voisines armées de louches, il n'y voyait rien, car le ouaouaron était collé à son visage.

Élizabeth, déguisée en fée Carabosse, le rattrapait et lui donnait un bisou et un coup de baguette magique. Mon père se transformait alors en «ouaouaronne» et épousait Wawa.

Le couple passait ses soirées à avaler des mouches et à élever ses têtards.

À la table, ce matin, ma mère a affirmé que je riais aux éclats dans mon cauchemar…

L'heure de me rendre à l'école approchait. En plus de mon sac à dos, je devais porter l'aquarium pour le remettre à ma professeure. Le nez collé contre la vitre, Élizabeth tirait la langue à mon ami.

— Salut, Wawa! Salut, Wawa!

Le ouaouaron était d'une indifférence totale devant les grimaces de ma sœur.

J'ai quitté la maison, les bras chargés. Plutôt que de filer à l'école, j'ai préféré bifurquer vers l'étang dans la forêt.

Conscient de l'ennui de Wawa, j'avais l'intention de lui montrer son lieu de naissance. J'ai emprunté un sentier et j'ai atteint l'endroit en quelques minutes.

À ma grande déception, Wawa n'a pas manifesté le moindre intérêt. Peut-être parce qu'il était dans son aquarium?

Alors, sans hésiter un instant, je l'en ai sorti…

J'ai approché Wawa de la surface de l'eau pour lui tremper les pattes.

Et je l'ai « échappé » dans l'étang…

5

Puisqu'il restait encore du temps avant le début des classes, j'ai couru jusqu'à la maison. Mon père n'était pas encore parti pour le boulot. Il venait toutefois d'aller reconduire Élizabeth à la maternelle.

— J'ai perdu Wawa! lui ai-je annoncé au bord des larmes.

Mon père n'a pas pu s'empêcher de sourire.

— Tu devais t'en séparer un jour, Alex… a-t-il dit sur un ton compatissant.

— C'est à un autre enfant, désormais, de s'occuper de Wawa, a ajouté ma mère, la main sur mon épaule.

— Non! Vous n'avez pas compris!

J'ai *perdu* Wawa !

Le sourire de mon père s'est effacé. J'ai expliqué ce qui s'était passé à l'étang.

— Je ne peux pas rentrer à l'école l'aquarium vide, ai-je rappelé à mes parents.

Mon père a prétendu, sans trop de conviction, qu'il serait en retard au bureau.

— J'ai besoin de toi, papa !

Il a baissé les yeux… Victoire ! Il venait d'abdiquer.

— Et maman ? a-t-il demandé.

Ma mère, pas très convaincante, a évoqué une pile de vêtements à repasser.

— J'ai besoin de toi, Marie ! a supplié papa à son tour.

Avec un soupir, elle a haussé les épaules.

— Bon, Michou ! Je repasserai plus tard…

Mon père est descendu au sous-sol

pour chercher un filet et ses bottes de pêche. Avec son veston et sa cravate, la scène était vraiment étrange.

J'ai guidé mes parents jusqu'à l'étang où j'avais laissé l'aquarium en guise de repère.

— C'est ici que j'ai perdu Wawa, leur ai-je expliqué.

— Je l'ai attrapé ! a crié mon père en montrant son filet avec fierté.

Déjà ! Je ne pensais pas que le dénouement de cette histoire serait si facile et si rapide. Heureux, j'ai soulevé le couvercle de l'aquarium. Mon père, avec précaution, y a déposé… une rainette !

— Eh ! Ce n'est pas Wawa !

Mon père, avec une moue, a rétorqué que mon ouaouaron avait peut-être rapetissé au lavage. J'ai libéré la grenouille et je l'ai remise à l'eau.

— Qui aurait vu la différence, Alex ? a-t-il demandé en consultant sa montre, agacé par mon attitude.

J'ai haussé les épaules.

— Wawa… Tu parles d'un nom pour un batracien, a bougonné mon père. Ça ressemble à un jappement : ouah ! ouah !

Il s'est tu. Mon père est la seule personne que je connaisse à avoir un fou rire presque silencieux. Ses épaules sautent sans arrêt, comme si elles voulaient être à la hauteur de ses oreilles. En y prêtant attention, on entend sa respiration saccadée qui émet un gni ! gni ! gni !

À un autre moment, je l'aurais trouvé tordant. Toutefois, l'heure n'était pas à la rigolade…

Essuyant une larme de rire sur sa joue, il a aboyé :

— Wawa ! Ouah ! Ouah ! Ton oua-ouaron est un… « batrachien » !

Il était plié en deux.

— Wawa est là ! a coupé ma mère en montrant un nénuphar à trois mètres de nous.

Brandissant son filet après s'être calmé, papa s'est approché de Wawa au ralenti. Les deux paraissaient s'observer en silence. Mon père ne souhaitait pas faire de gestes brusques qui effraieraient le ouaouaron.

— Vite, papa ! Je vais être en retard à l'école !

Mon père a rabattu son filet. Il a lancé un cri de joie. Il avait attrapé Wa-wa ! Triomphant, il l'a sorti et s'est moqué de lui.

— On se rencontre à nouveau, mon-sieur Wawa ! Ouah ! Ouah ! Wouf ! Wouf !

Alors, le «batrachien», on veut toujours se sauver ?

En guise de réponse, Wawa a encore pris le nez de mon père pour une mouche. Mon père a perdu l'équilibre et s'est retrouvé, en cravate et veston, assis dans l'eau…

Avec le ouaouaron posté sur sa tête.

6

Nous avons enfin remis Wawa dans son aquarium. Mon père m'a reconduit à l'école. Tant pis pour ses vêtements mouillés. Malgré les protestations de ma mère, il tenait à m'accompagner. Il espérait éviter que Wawa ne s'évade de nouveau.

Mon arrivée en classe a été saluée par des applaudissements taquins de la part des élèves.

— Tu es en retard, mon têtard, m'a taquiné ma professeure.

Mon père est demeuré près de la porte. Il a laissé le soin à ma mère de redonner l'aquarium à Mme Marjolaine. Celle-ci l'a remerciée d'un sourire.

Désignant Wawa, elle a annoncé aux jumelles, Marie-Pier et Anne-Andrée, qu'elles étaient les prochaines à s'en occuper.

— Pas question ! a répondu Marie-Pier, les bras croisés. Ma mère ne veut pas d'une grenouille chez elle.

— C'est un ouaouaron, ai-je précisé. Wawa est un « batrachien », si tu préfères…

Voilà que j'imitais mon père !

— C'est identique, a riposté Anne-Andrée, dégoûtée.

Ma professeure n'a pas insisté et a proposé autre chose.

— Les élèves volontaires de la classe

ont pris soin,
à tour de rôle, de notre
ami… Je ne vois plus qu'une solution:
Wawa retournera dans son étang.

J'ai jeté un coup d'œil à mon père.
Il avait la bouche grande ouverte. Une
mouche aurait pu y entrer.

— Euh, désolé, papa…

En tout cas, une chose est sûre:
cette mésaventure a été une suite de…
rebondissements!

Table des matières

Chapitre 1 11

Chapitre 2 19

Chapitre 3 29

Chapitre 4 37

Chapitre 5 51

Chapitre 6 61

Achevé d'imprimer en septembre 2006
sur les presses de l'imprimerie Gauvin,
Gatineau, Québec